Le château hanté

Stéphane Descornes • Mérel

Rachid le timide

Mélanie la chipie

Pacha le chat

Pascale la géniale

Arthur le gros dur

ES-tu prêt pour
une nouvelle aventure ?
Eh bien, commençons !

Ah, j'y pense!
les mots suivis
d'un ☼ sont
expliqués à la fin
de l'histoire.

Enfin les vacances ! Gafi
a emmené ses amis en Écosse,
dans un vieux château perché
sur une colline.

Tandis qu'ils visitent le château,
Rachid est un peu inquiet :
– On entend des bruits bizarres.
Tu es sûr que personne ne vit ici ?

Le château hanté

Gafi rassure Rachid :

– Non ! Je connais cet endroit. J'y passe souvent mes vacances. On sera tranquilles…

Mais soudain éclate un cri guttural ！

D'où vient ce cri ?

Au bout d'un couloir, un fantôme
menaçant surgit :

– Bande d'intrus ! C'est mon château !
Partez d'ici ou je vous réduis
en poussière !

Le château hanté

Effrayés, tous vont se cacher dans
une chambre. Seule Pascale ne tremble
pas. Rouge de colère, elle crie :
– On ne va tout de même pas
laisser ce pot de colle nous gâcher
nos vacances !

Arthur, Rachid et Mélanie
reprennent courage :
– Tu as raison. Il faut le chasser d'ici !
Pascale a une idée. Elle attrape
une vieille perruque sur une commode,
l'enfile et ressort.

Elle s'approche alors du fantôme
et se met à pousser des cris :
– Je suis une terrible sorcière !
Vous avez intérêt à quitter les lieux !
    Pacha crache, sort ses griffes,
fait le gros dos…

Rien n'y fait. Le fantôme ricane :
– Une fillette mal coiffée ? Et un chaton !

Il en faut plus pour m'effrayer !
Ah ! Ah ! Ah !

Alors Arthur, furieux, emploie
les grands moyens.
Il trouve un aspirateur et pourchasse
le fantôme dans tout le château…
Il réussit enfin à le capturer !

Mais que va-t-il faire
du fantôme, maintenant ?

Prisonnier dans l'aspirateur, le fantôme se lamente et tousse :

– Au secours ! C'est plein de poussière là-dedans !

Mélanie attrape une bouteille
pour y enfermer le râleur.
– Comme ça c'est mieux. Et on garde
un œil sur toi !

Le château hanté

Attiré par un bruit au-dehors, Rachid
se penche à la fenêtre :
– Oh, oh ! On a un nouveau problème !
Une famille vient s'installer dans
le château...
– Pas moyen d'être tranquilles !
soupire Pascale.

Cette fois-ci, Gafi en a assez :
– Il y a beaucoup trop de monde ici !
Je connais d'autres châteaux
dans la région. Partons.

En chemin, Arthur demande soudain :

– Au fait, Mélanie, et le fantôme dans sa bouteille ?

– Je l'ai laissé au frais dans le frigo… Celui qui va le trouver aura une drôle de surprise !

c'est fini !

Certains mots sont peut-être difficiles à comprendre. Je vais t'aider !

Un cri guttural : c'est un cri qui part du fond de la gorge, un cri rauque.

Intrus : un intrus est une personne qui arrive dans un endroit sans y avoir été invitée.

Ricane : le fantôme rit bêtement en se moquant des enfants.

Pourchasse : Arthur court après le fantôme pour l'attraper.

AS-tu aimé
mon histoire ?
Jouons ensemble,
maintenant !

Où est Gafi ?

Gafi est perdu parmi tous ces fantômes.
Peux-tu le retrouver ?

Quelle poussière !

4 bouteilles sont cachées dans la salle du château. À toi de les chercher...

Réponse : une bouteille est derrière l'armure ; une deuxième est sous le tapis ; la troisième est sous la chaise; la quatrième est derrière l'épée.

Vrai ou faux

a Gafi passe souvent
ses vacances dans ce château.
vrai/faux

b Pascale tremble de peur.
vrai/faux

c Arthur attrape un balai
pour chasser le fantôme.
vrai/faux

d Gafi et ses amis vont passer la fin
des vacances dans un autre endroit.
vrai/faux

Réponse : a) vrai ; b) faux ; c) faux ; d) vrai

La chasse aux araignées

Retrouve la lettre qui se cache
sous les araignées. Et tu pourras
lire le message.

D🕷ns le ch🕷te🕷u
h🕷nté, G🕷fi et ses
🕷mis ont très peur.
Ils vont se c🕷cher
d🕷ns l🕷 ch🕷mbre.

Dans la même collection
Illustrée par Mérel

Je commence
à lire

Je lis

Je lis
tout seul

Directeur de collection et conseil pédagogique :
Alain Bentolila

Jeux conçus par Georges Rémond

© Éditions Nathan (Paris-France), 2005
Loi n°49-956 du 16 juillet 1949
sur les publications destinées à la jeunesse
ISBN 978-2-09-250653-0
N° éditeur : 10188861 - Dépôt légal : juin 2012
Imprimé en France par Loire Offset Titoulet à Saint-Etienne